La surprise est dans l'armoire

Val Willis

illustrations de

John Shelley

traduit de l'anglais
par Marie-France de Paloméra

Seuil

Titre original : *The Surprise in the Wardrobe*.

© 1990 Val Willis pour le texte.
© 1990 John Shelley pour les illustrations.
© 1990 André Deutsch Ltd., 105-106 Great Russell Street,
London WC1B 3LJ, Angleterre, pour l'édition originale.
© 1990 Éditions du Seuil, 27, rue Jacob, Paris VIe, pour la traduction française.

Imprimé en Angleterre.

Dépôt légal : octobre 1990. N° 12168.
ISBN 2-02-012168-9.
(Édition originale : ISBN 0-233-98494-5.)

Ce coquin de Benjamin avait une surprise, et sa surprise était cachée dans son armoire. Il mourait d'impatience d'en parler à sa maîtresse, Mademoiselle Agathe.

Sur le chemin de l'école, il rencontra Pierrot, son ami. Nini Chipie les attendait dans la cour de récréation. Elle serrait contre elle une boîte en carton avec des trous dans le couvercle.

— J'ai une surprise géniale, dit Benjamin à Nini Chipie.

– Pas aussi géniale que la mienne ! dit Nini Chipie. Elle ouvrit le couvercle et montra un lapin qui mâchait une feuille de laitue.

– Tu veux que je te dise ma surprise ? demanda Benjamin.

– Surtout pas, répondit Nini Chipie en caressant son lapin.

Dans la classe, Benjamin aperçut la petite Hélène.

— J'ai une surprise fantastique, dit-il.

— Moi aussi, chuchota la petite Hélène.

C'est mon anniversaire, regarde !

Elle ouvrit son bureau et montra à Benjamin un superbe gâteau.

— C'est pour partager à l'heure de la récréation, dit-elle.
— Tu veux que je te dise ma surprise ? demanda Benjamin.
— J'aimerais mieux pas, chuchota la petite Hélène.
Mademoiselle Agathe entra dans la classe.
— Mademoiselle ! s'écria Benjamin. J'ai une surprise fabuleuse !

— Calme-toi, Benjamin, et assieds-toi, dit Mademoiselle Agathe.
— Mes enfants, annonça-t-elle, demain nous aurons une nouvelle élève.
Je vous demande de vous en occuper gentiment...

«... et de tout lui expliquer.

– Demain, j'apporterai aussi ma surprise, dit Benjamin. Elle est dans mon armoire.

Après l'école, Benjamin rentra en courant jusque chez lui et alla droit dans sa chambre. Il ouvrit la porte de l'armoire.
Une sorcière était accrochée à un portemanteau.
Benjamin l'aida à descendre. Elle remit son chapeau bien droit et s'assit sur le lit.

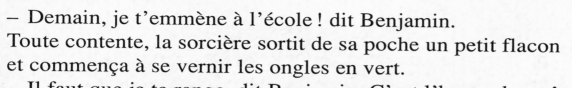

– Demain, je t'emmène à l'école ! dit Benjamin.
Toute contente, la sorcière sortit de sa poche un petit flacon
et commença à se vernir les ongles en vert.
– Il faut que je te range, dit Benjamin. C'est l'heure du goûter.
Et il raccrocha la sorcière dans l'armoire.

Le lendemain matin, après le petit déjeuner, Benjamin sortit la sorcière de l'armoire. Sa robe était toute froissée, son chapeau était de travers et elle avait les cheveux en bataille.

Elle prit la brosse à cheveux que lui tendait Benjamin
et la fourra dans sa poche.
– Presse-toi, dit Benjamin, sinon nous allons être en retard.

La sorcière saisit son balai dans le porte-parapluies de l'entrée.
Quand ils furent dehors, dans le jardin, Benjamin monta derrière elle
sur le balai, et tous deux s'envolèrent.

Ils s'amusaient tellement que, lorsqu'ils arrivèrent à l'école,
c'était presque l'heure d'aller à la cantine.

Benjamin et la sorcière atterrirent dans la cour de récréation.
En les voyant, Nini Chipie fut si étonnée
qu'elle lâcha sa corde à sauter.

La sorcière ramassa la corde et se mit à faire des sauts très compliqués.
Benjamin ne cachait pas son admiration.
– Je te l'avais bien dit ! chuchota-t-il à Nini Chipie.

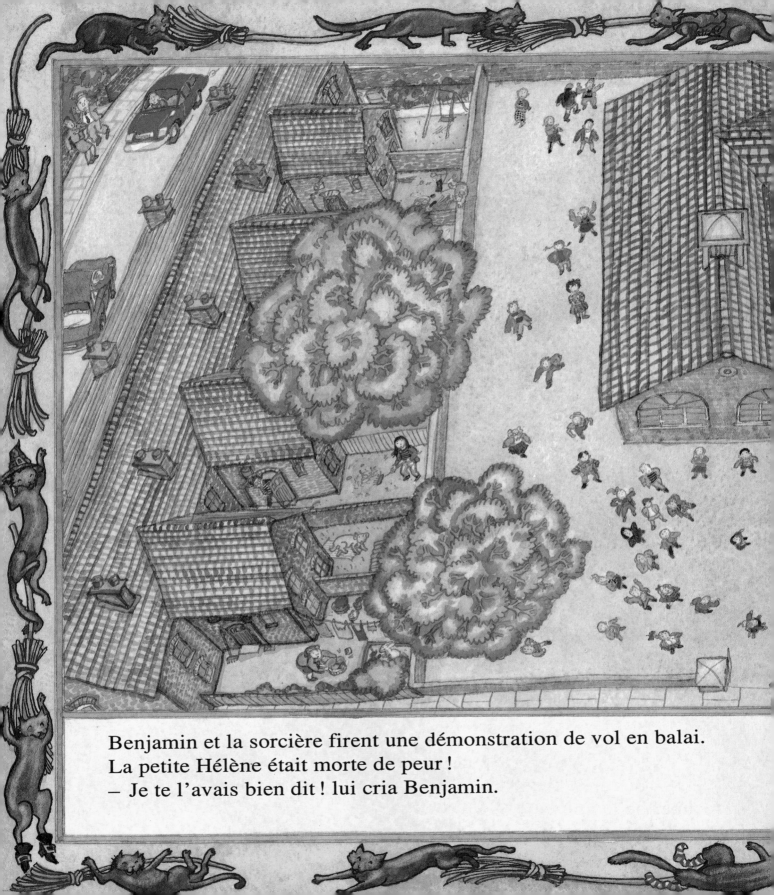

Benjamin et la sorcière firent une démonstration de vol en balai.
La petite Hélène était morte de peur !
— Je te l'avais bien dit ! lui cria Benjamin.

La cloche sonna pour le déjeuner. Benjamin emmena la sorcière
au réfectoire. Il fit un grand sourire à Mademoiselle Agathe.
— Ah ! Te voilà enfin ! dit Mademoiselle Agathe. C'est gentil
de t'occuper de la nouvelle élève.

– Quelle nouvelle élève ? demanda Benjamin.
Mais la maîtresse était dans la lune et n'écoutait pas.
– Va t'asseoir à côté de Nini Chipie, dit-elle à la sorcière.

– Je ne veux pas être à côté d'elle, Mademoiselle ! s'écria Nini Chipie en faisant la grimace. Elle est trop moche !
– Nini, je ne te demande pas ton avis, dit Mademoiselle Agathe.

Nini Chipie se leva brusquement.

– QU'Y A-T-IL ENCORE ? demanda Mademoiselle Agathe.

– Quelqu'un a mis un hérisson sur ma chaise ! hurla Nini.

– C'est toi, Benjamin ? demanda Mademoiselle Agathe.

– Non, Mademoiselle. C'est sûrement la sorcière, dit Benjamin.
– Benjamin, sois poli ! dit Mademoiselle Agathe. Maintenant, mettez-vous en rang et allez vous servir. Benjamin, tu montreras à la nouvelle où sont les plateaux.

Benjamin et la sorcière arrivèrent devant Madame Plouche,
la cuisinière de l'école.
– Du ragoût aux choux ? Berk ! dit la sorcière.
– Benjamin, sois poli ! dit Madame Plouche.

Et elle agita sa louche d'un air furibard.
Benjamin et la sorcière prirent leur plateau et allèrent s'asseoir à
table avec le reste de la classe.

– Du ragoût aux choux, berk, berk, berk ! dit Benjamin.
La sorcière fit un clin d'œil à Benjamin, et la table se couvrit de frites
et de saucisses avec des haricots au ketchup.

Tout le monde applaudit, sauf Nini Chipie, qui préférait du ragoût aux choux. La sorcière fit un clin d'œil à Benjamin, et une grosse grenouille verte sauta dans l'assiette de Nini Chipie, qui hurla.

Le réfectoire se remplit de grosses grenouilles vertes qui sautaient
partout. Madame Plouche agita sa louche d'un air furibard.
– Il y a du riz au lait comme dessert ! dit-elle.
– Berk ! dit la sorcière.

– Benjamin, sois poli, sinon gare à toi ! s'écria Madame Plouche.
La sorcière fit un clin d'œil à Benjamin, et la table se couvrit
de gâteaux, de glaces et de mousse au chocolat.
La classe applaudit, sauf Nini Chipie, qui préférait du riz au lait.

La sorcière claqua des doigts. Une grosse araignée velue descendit du plafond, juste sous le nez de Pierrot. Et puis des chauves-souris et d'énormes insectes se mirent à voler partout tandis que les cafards grouillaient dans les assiettes.

– BENJAMIN ! FAIS QUELQUE CHOSE !!! gémit Madame Plouche.

— Je rentre dans ton armoire, dit la sorcière à Benjamin.
J'en ai assez de l'école pour aujourd'hui.
— Merci de m'avoir aidé, dit Benjamin.
— Tout le plaisir était pour moi ! dit la sorcière.
Et elle sauta sur son balai et fila dans le ciel.

— Tu as intérêt à me ranger tout ça, ou j'appelle Mademoiselle Agathe !
dit-elle en agitant sa louche d'un air furibard.
— Ne t'inquiète pas, je m'en charge, chuchota la sorcière à Benjamin.
Elle claqua des doigts, et grenouilles, chauves-souris, insectes
et cafards s'envolèrent dans un grand tourbillon vert.